Je me dispute avec ma copine

Troisième édition

© 2005, Bayard Éditions Jeunesse
Tous les droits réservés. Reproduction, même partielle, interdite.
Dépôt légal : mars 2005
ISBN : 978-2-7470-1586-8
Loi du 16 juillet 1949 sur les publications destinées à la jeunesse.

Je me dispute
avec ma copine

Une histoire écrite par Florence Dutruc-Rosset
illustrée par Marylise Morel
Couleurs : Christine Couturier

BAYARD POCHE

1

Une invitation de rêve

Je suis trop contente ! Élodie, ma meilleure amie de toutes les meilleures amies du monde entier, m'invite à dormir chez elle ce week-end ! C'est sûr, on va se marrer vingt-quatre heures sans s'arrêter. Il faudra peut-être même nous réanimer à l'hôpital après...

Je prépare mon sac. J'espère que je ne vais rien oublier. J'ai commencé par tout installer sur mon lit.

Alors, récapitulons : mon pyjama : j'ai ! Mes chaussons : j'ai ! Ma brosse à dents : j'ai ! Mon pantalon de rechange : j'ai ! Mon pull de rechange : j'ai. Mes chaussures de rechange : j'ai pas ! Oh là là, c'est hyper important, ça. Dire que j'aurais pu les oublier !

Paniquée, je fonce droit sur mon armoire. Le papa d'Élodie a dit qu'il passerait me chercher à 14 heures, et il est déjà 13 heures 43. Faut que je me dépêche, faut que je me dépêche...

Tout à coup, ma mère débarque dans ma chambre,

suivie de Vanessa, ma grande sœur.

– Mais qu'est-ce que c'est que tout ce bazar ? me demande-t-elle avec son air affolé des mauvais jours.

– Ben, je prépare mon sac...

Vanessa se met à hurler de rire :

– Je ne savais pas que tu partais aux États-Unis pour trois semaines ! Do you speak English, au moins ?

Pff... N'importe quoi ! De toute façon, Vanessa ne sait pas quoi inventer pour m'écrabouiller les nerfs.

Ma mère se penche sur mes affaires et me dit :

– Vanessa n'a pas tout à fait tort. Il est inutile d'emporter trop de vêtements. Tu rentres demain midi ! Il te faut tes affaires de toilette – n'oublie pas ton dentifrice et ta brosse à cheveux –, ton pyjama, tes chaussons, une culotte, une paire de chaussettes pour demain, et voilà !

– Mais s'il y a une tempête énorme et si je suis trempée de la tête aux pieds... Il me faut absolument des vêtements de rechange !

– D'abord, la météo n'a prévu aucun ouragan pour

cet après-midi. Et, même si c'était le cas, Élodie aurait bien quelque chose à te prêter...

– Bon, d'accord. Alors, je prends des jeux à la place !

– Oui, ça, c'est une bonne idée, dit ma mère.

– Ben oui, tu n'as qu'à emporter la table de ping-pong, par exemple, rigole Vanessa.

Décidément, toujours aussi débile, celle-là.

Je fourre dans mon sac mes affaires, un jeu de société, un jeu de cartes, et je suis prête à partir.

Dring ! La sonnette de la porte d'entrée ! C'est Élodie et son père, c'est sûr !

Je dévale l'escalier à toute allure, j'ouvre la porte et je saute dans les bras d'Élodie. On fait notre petite danse préférée, et je lui hurle dans l'oreille :

– C'est trop bien ! C'est trop bien !

Élodie éclate de rire :

– C'est méga trop cool, tu veux dire ! Je vais enfin pouvoir te montrer ma maison à la campagne. Tu vas voir, elle est super !

Après les politesses habituelles des parents (bon-

jour, madame / bonjour, monsieur / merci beaucoup d'inviter ma fille, c'est très gentil / mais non, madame, c'est un plaisir), je fais de gros bisous à ma mère, et au revoir la compagnie !

Dans la voiture, Élodie et moi commençons tout de suite le grand marathon de la rigolade : épreuve d'observation (fous rires garantis). Pour le repérage d'une dame à lunettes dans une voiture : un point. Pour le repérage d'un moustachu : deux points. Pour le repérage d'un vieux à casquette : trois points. Et cinquante points pour celle qui voit quelqu'un avec une perruque orange sur la tête en train de fumer une pipe. Résultat : Élodie : 5 points (trois dames à lunettes et un moustachu) ; Lulu : 152 points (trois personnes à perruque orange et un moustachu). Non, je blague ! En fait, je n'ai vu qu'un moustachu, et encore, il est passé tellement vite que c'était peut-être une dame à lunettes…

2

C'est de la triche !

Arrivée chez Élodie, je rencontre pour la première fois Véronique, la nouvelle fiancée du père de ma copine. Élodie me parle souvent d'elle. Depuis que ses parents ont divorcé, elle la voit un week-end sur deux. Elle ne l'aime pas beaucoup parce qu'il paraît qu'elle se prend pour sa mère. Moi, je trouve qu'elle a l'air plutôt sympa.

Élodie me fait visiter toute la maison. Il y a plein de pièces, et même une salle de jeux, rien que pour elle. Devant, il y a un immense jardin et, autour, des champs avec des vaches.

– Alors ! s'exclame Élodie. Ça t'épate, hein ? Toi, tu ne connais que la ville, avec les voitures, les bruits, les mauvaises odeurs.

Je réponds, un peu vexée :

– Pas du tout, je pars en vacances de temps en temps, figure-toi ! Je sais quand même ce que c'est qu'une vache… et, en plus, je te signale que la bouse de vache, ça ne sent pas la rose !

– Bon, allez, viens dans le garage, me dit Élodie

en me prenant par le bras, on va chercher les vélos.

Élodie prend un super vélo rouge, qui a au moins cinq vitesses, et me tend un vélo pour bébé de cinq ans, tout abîmé, en me disant :

– Tiens, c'est le vélo que j'avais quand j'étais petite. Désolée ! Mais, tu verras, il marche encore...

Gloups ! Je ravale ma salive et je monte sur ce ridicule vélo rose. Mes genoux touchent le guidon. Je n'ai pas le temps de protester. Élodie est déjà partie sur une route, vers la droite. Elle crie :

– Ce chemin fait tout le tour de la maison. Tu vas voir, c'est mortel !

J'arrive à peine à pédaler. Ce vélo est mille fois trop petit pour moi. Et Élodie est déjà loin.

Je lui crie :

– Attends-moi !

Mais elle ne m'entend pas et disparaît derrière le virage. Mince, elle aurait pu ralentir, quand même...

J'ai mal aux jambes, je vais à un demi-kilomètre à l'heure, et j'en ai marre. Ce n'est pas drôle du tout. J'aimerais m'arrêter, mais je ne peux pas rester

plantée là. Alors, je descends de vélo et je me mets à le pousser en marchant. Aïe, aïe, aïe, je suis tellement penchée en avant que j'ai hyper mal au dos. Décidément, c'est une super balade !

Enfin, j'aperçois la maison. Élodie est devant et m'attend en riant aux éclats.

– J'ai encore gagné !

J'arrive, morte de fatigue. Je pose le vélo contre le mur et je m'assois par terre en disant :

– Tu parles ! La prochaine fois, on échange nos vélos, et tu verras ce que tu verras…

Élodie s'écrie :

– Allez, bouge-toi ! On va sur mon portique.

Élodie n'est pas comme d'habitude. Elle joue la chef, et je n'aime pas beaucoup ça. Tout à coup, elle me tire par les mains pour me lever et me traîne jusqu'au jardin.

Il y a une balançoire, un trapèze et deux cordes.
Élodie se précipite sur la balançoire. J'en rêvais pour
me reposer un peu...

– Tiens, prends le trapèze, c'est pareil, me dit-elle.
Je murmure, à bout de souffle :

– Non, je suis crevée...

– Poule mouillée ! me lance Élodie. Je suis sûre
que t'es même pas cap' de monter en haut de la
corde ! Allez, la dernière arrivée en haut est un putois
puant !

Ah, là, elle ne m'aura
pas comme ça ! Je réunis
mes toutes dernières
forces et je cours vers
une des deux cordes.
Élodie a déjà commencé
à monter, sans attendre
le top départ. Tricheuse !
Au moment où je touche
le haut du portique,
évidemment, il est trop

tard. Élodie pousse des cris de victoire. Elle se pince le nez en me regardant et fait des grimaces de dégoût.

Là, c'est trop ! Elle m'énerve vraiment.

Je lui crie :

– Ça vaut pas ! T'es partie avant. C'est de la triche !

Elle me répond :

– Tu préfères que je t'appelle « poule mouillée », « putois puant » ou « mauvaise joueuse » ?

– Pff... N'importe quoi.

Je ne comprends pas ce qui se passe. Pourquoi Élodie est méchante comme ça avec moi ? C'est horrible, ma meilleure amie me fait penser à Vanessa…

3

Je la déteste !

Le soir, Véronique nous demande d'aller prendre notre douche et de nous mettre en pyjama.

– Prem's ! s'écrie Élodie.

J'attends dans la chambre qu'elle ait fini en me posant mille questions. Pourquoi Élodie est si nulle aujourd'hui ? Elle fait peut-être sa crâneuse à cause de sa grande maison… Mais à quoi ça sert d'avoir

une meilleure amie comme ça ?

Un quart d'heure plus tard, elle revient en me lançant :

– À toi ! Fais vite, il n'y a plus beaucoup d'eau chaude.

Et ça continue... Je prends ma douche vite fait et je me mets en pyjama. À peine ai-je posé un pied dans la chambre que j'entends Élodie exploser de rire :

– Ouah, le pyjama ! T'as trouvé ça où ? Dans une pochette surprise ?

Alors, là, je sens la colère me monter aux joues ! Je lui rétorque que je m'habille comme je veux et que, si ça ne lui plaît pas, c'est pareil.

– À table, les filles ! appelle Véronique.

En arrivant dans la cuisine, je sens une drôle d'odeur. Berk ! J'ai peur de savoir de quoi il s'agit. Je demande discrètement à Élodie :

– Qu'est-ce qu'on mange ce soir ?

Élodie me répond :

– Un gratin de chou-fleur.

J'en étais sûre ! Je fais une moue dégoûtée et je lui glisse dans l'oreille que je n'aime pas les choux-fleurs.

– Pas de chance ! s'exclame-t-elle.

À table, le père d'Élodie nous demande si on s'est bien amusées. Élodie annonce aussitôt qu'elle a gagné la course à vélo, la montée de cordes, et patati et patata...

Soudain, un plat rempli d'affreux choux-fleurs répugnants prend place au milieu de la table. L'odeur me donne mal au cœur. Mais, quand il faut y aller, il faut y aller.

Véronique me dit :

– Honneur aux invités !

Je tends mon assiette à reculons en disant :

– Juste un petit peu, s'il vous plaît, je n'ai pas très faim.

Élodie éclate de rire :

– C'est pas vrai ! Lulu déteste les choux-fleurs.

Oh, la traître ! Je deviens rouge comme une tomate.
Je ne sais plus quoi dire ni qui regarder. Je me sens très
très mal.

Véronique me sourit :

– Il fallait me le dire, Lulu. Ce n'est pas grave, je
vais te préparer autre chose.

– Non, non, ne vous dérangez pas pour moi. Je ne
déteste pas les choux-fleurs, Élodie dit n'importe
quoi.

– Ben, tu viens de me le dire à l'oreille ! Je n'ai pas
rêvé quand même...

Oh là là, la super traître ! J'ai une énorme envie de
l'étrangler, ou plutôt non, de lui arracher les cheveux

un par un… Mais je n'ai même pas le courage d'ouvrir la bouche.

Véronique me propose une purée. Moi qui ne voulais pas trop me faire remarquer, c'est gagné, et grâce à qui ? À ma soi-disant meilleure amie…

Après le repas, nous nous retrouvons, Élodie et moi, dans la chambre. Et, là, j'explose :

– J'en ai marre ! Tu veux toujours être la chef. Il faut que je fasse tout ce que tu veux. T'es une égoïste, tu penses qu'à toi, et les autres, tu t'en fiches. En plus, tu adores te moquer des gens et tu es une vraie traître. C'est nul ! T'es plus ma copine !

Élodie fait une drôle de tête ; puis elle hurle :

– Et toi alors ? C'est pas mieux ! Tu n'as aucun humour. On ne peut jamais rien te dire, même pour rigoler. Tu te vexes tout le temps. Tu fais des histoires pour un rien parce que tu es susceptible, voilà. De toute façon, t'es plus ma copine non plus, et tant mieux.

Élodie éteint la lumière et ne dit plus un mot. Allongée dans le noir, j'ai envie de pleurer – parce que je n'ai plus de meilleure amie, parce que ce week-end est raté, parce que je voudrais être chez moi et dormir dans mon lit, parce que c'est même pas vrai que je suis susceptible...

Le lendemain matin, Véronique et le père d'Élodie me ramènent chez moi. Élodie et moi, on ne s'adresse pas la parole de tout le voyage. Ils trouvent ça un peu bizarre, mais croient que nous sommes fatiguées à cause du grand air de la campagne.

4

Le retour à l'école

Le lundi, quand j'arrive à l'école, je croise Élodie. Je fais exprès de ne pas la regarder et de passer à côté d'elle comme si elle n'était pas là. Pendant la récré, Tim vient me voir, l'air ahuri :

– Ben alors ? Qu'est-ce qu'il se passe ? T'es pas avec Élodie ? Et notre revanche au Kidimieu, quand est-ce qu'on va la faire ?

– Plutôt mourir ! Élodie n'est plus ma copine. C'est une crâneuse-débile-tricheuse qui me donne des boutons. Et je te préviens : si tu vas jouer avec elle, je ne te parle plus non plus.

Tim me regarde, très embêté :

– Ah, je vois ! Vous vous êtes encore disputées... C'est pénible, à la fin, toutes vos histoires.

– D'habitude, on se dispute pour des petits trucs ; mais, cette fois, c'est fini pour de vrai. Elle n'a qu'à se trouver une autre meilleure amie.

Tim s'en va en traînant les pieds jusqu'à Élodie, qui joue à l'élastique avec deux filles de la classe. Je

tends discrètement l'oreille et j'entends :

– Élodie, quand est-ce qu'on va faire notre revanche au Kidimieu ?

Elle répond :

– Jamais. Je ne jouerai plus jamais avec Lulu ! C'est plus ma copine. Mais, si tu veux jouer avec cette poule mouillée, vas-y. De toute façon, je peux très bien me passer de vous deux.

– Hé, oh ! Je t'ai rien fait, moi ! Faut pas confondre, hein. C'est dingue, ça...

Tim reste un instant au milieu de la cour, jette un regard à Élodie, puis à moi, hausse les épaules et va

rejoindre ses copains, Félix, Mansour et Matthias, en marmonnant :

– Oh, les embrouilles !

Pauvre Tim ! C'est vrai qu'il n'y est pour rien...

À ce moment-là, Ling s'approche de moi :

– Tu es toute seule ? Tu fais une bataille avec moi ?

– Oui, pourquoi pas ? Mais une avec des cartes, alors...

Ling me regarde avec de grands yeux, sans rien comprendre.

Le soir, en rentrant à la maison, je ne me sens pas très bien. En tout cas, je ne suis pas très joyeuse. Ma mère m'ouvre la porte avec un grand sourire. Pour une fois qu'elle rentre tôt ! Et dire que je n'arrive même pas à être contente. Je l'embrasse et je monte poser mon cartable dans ma chambre.

Quand je redescends pour goûter, maman me demande :

– Qu'est-ce qui ne va pas, ma Lulu ? Depuis hier, tu fais une drôle de tête. Ça s'est mal passé, ce week-end chez Élodie ? Dis-moi, ma puce...

– Ben, c'est-à-dire que... C'est plus ma copine. Elle est méchante, crâneuse, égoïste...

– Stop ! s'écrie ma mère. Samedi tu l'adorais, et aujourd'hui tu la détestes à ce point ?

– Si tu savais ce qu'elle m'a fait ! Elle m'a prêté un vélo de bébé, elle a triché à la corde, elle s'est moquée de mon pyjama et elle a dit à Véronique que je n'aimais pas les choux-fleurs ! C'est une horreur...

– Ah bon ? Mais pourquoi ?

– Ben, j'en sais rien, moi. Elle est nulle, c'est tout.

– Si elle était vraiment si méchante que ça, peut-être avait-elle des raisons, tu ne penses pas ? Tu m'as dit qu'elle ne s'entendait pas bien avec la nouvelle fiancée de son père. Elle était peut-être mal à l'aise, triste ou en colère… et c'est à toi qu'elle s'en est prise !

– Ah, tu crois… Je n'y avais pas pensé… En tout cas, je préfère ça.

À ce moment-là, Vanessa revient du collège. Elle jette son sac contre le mur et lance :

– Ça y est, c'est encore un drame à la Lulu ! Alors, voyons voir... Mademoiselle Lulu a perdu son doudou ? Elle a eu une punition, genre « je ne dois pas gigoter en classe comme un asticot » ? Ah non, je sais ! Elle en a marre, marre, marre, crie-t-elle en essayant de m'imiter.

Quelle peste ! Un vrai serpent venimeux !

Ma mère la gronde :

– Arrête de te moquer de ta sœur, Vanessa !

N'oublie pas que tu as eu son âge.

– Bon, d'accord, j'arrête. De quoi s'agit-il ?

– Lulu s'est disputée avec Élodie. Elles ne sont plus copines !

Vanessa éclate de rire :

– Ah ! Ce n'est que ça... Mais elles se disputent toutes les deux semaines ! Changez de disque un peu, les filles ! Oups, pardon, maman ! Je voulais dire : je comprends ton grave problème, sœurette, mais ça va s'arranger, tu verras... Nous sommes tous là, avec toi, pour t'aider à traverser cette dure épreuve.

Pff... Et elle se croit drôle, en plus !

5

La grande question

Le lendemain, je croise le regard d'Élodie dans la cour de l'école. Elle a l'air un peu embêtée, mais ne me dit rien. Moi aussi, je suis un peu embêtée. J'en ai marre qu'on soit fâchées, et en même temps je lui en veux encore.

À la récré, je n'ai pas très envie de jouer. Je m'assois sur un banc et je regarde les autres s'amuser.

Tim vient s'installer à côté de moi :

– Alors, c'est fini, votre dispute ?

Je réponds :

– Non.

– Mais ça va durer encore combien de temps ? On a une partie de Kidimieu, trois chats et deux balles aux prisonniers à rattraper maintenant. Tu n'as qu'à aller voir Élodie, et tout sera réglé.

– Non, je n'ai pas envie.

Tim se lève en râlant, puis se dirige vers Élodie. Elle aussi s'est assise sur un banc, de l'autre côté de la cour. Elle ne joue pas non plus. J'imagine que Tim lui dit la même chose qu'à moi...

L'après-midi, en classe, je surprends Élodie en train de me regarder du coin de l'œil, sans sourire. À la fin de la récré, la cloche annonce le début de notre cours de gym. Toute la classe se met en rang devant la salle de sport. Isabelle, notre maîtresse, nous fait entrer deux par deux. On pose les cartables dans un coin. On enfile nos survêtements, puis on se regroupe au milieu de la salle.

La maîtresse lance :

– Aujourd'hui, on va voir ce que vous avez dans les bras ! Vous allez tous monter à la corde jusqu'en haut. Lulu et…. Élodie, venez ici, s'il vous plaît !

Gloups, l'angoisse !

– Chacune se met devant une corde. Vous tirez de toutes vos forces avec vos bras en vous aidant de vos pieds. La première arrivée en haut a gagné. Attention, vous êtes prêtes ? 3, 2, 1, top départ !

Je n'ose pas regarder Élodie. Pourquoi la maîtresse nous a choisies, justement nous deux ? Quelle malchance ! De toute façon, je sais bien qu'Élodie va foncer pour gagner, alors je monte le plus lentement possible. Inutile de se fatiguer pour rien.

Au bout d'un petit moment, je jette un regard vers Élodie : elle est au même niveau que moi ! Incroyable, elle va aussi vite qu'un escargot. Je ne peux pas me retenir de sourire ; elle aussi. Du coup, on bat le record du monde de lenteur. Une fois que nous sommes enfin arrivées en haut de la corde, la maîtresse s'écrie :

– Égalité ! C'était plutôt laborieux, mais vous avez atteint le but, c'est l'essentiel. Suivants !

Quand la cloche sonne à 16 heures 30, tout le monde se prépare à quitter l'école. Je balaie du regard la salle de sport : Élodie est déjà partie. Je me change et j'enfile ma chaussure gauche. Bizarre, je sens quelque chose au fond, qui me gêne. Je regarde : c'est une boule de papier. Je la déplie et je lis :

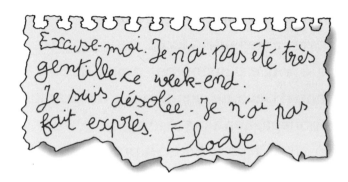

Excuse-moi. Je n'ai pas été très gentille ce week-end. Je suis désolée. Je n'ai pas fait exprès. Élodie

Ça alors ! J'enfile ma deuxième chaussure : Il y a encore une boule de papier. Je la lis :

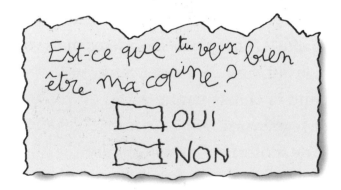

Est-ce que tu veux bien être ma copine ?
☐ OUI
☐ NON

Ça, pour une surprise, c'est une surprise ! Je range précieusement ces mots dans ma poche et je rentre chez moi.

Je passe toute la journée de mercredi à réfléchir et à préparer ma réponse. Et, le jeudi, j'arrive à l'école avec une feuille de papier scotchée sur mon blouson. J'ai recopié la case OUI en énorme et je l'ai cochée au feutre rose.

Je vois Élodie assise sur un banc. En me voyant, elle se lève d'un bond et court vers moi, folle de joie.

Je cours aussi vers elle et on se serre dans nos bras. Je ne sais pas si je ris ou si je pleure, sûrement les deux à la fois. C'est tellement bon de se retrouver ! Ces trois jours m'ont paru durer des mois. Élodie essuie une petite larme au coin de l'œil et me dit :

– T'es ma meilleure amie, Lulu !

– T'es ma meilleure amie, Élodie ! Pour la vie...

Et on se met à exécuter nos petits pas de danse préférés. C'est trop bien !

Tim nous rejoint, avec la tête de quelqu'un qui se trouve soudain en face de deux extra terrestres.

– Vous allez bien, vous êtes sûres ? demande-t-il. Et d'abord, c'est quoi, ce machin sur ton blouson, Lulu ?

– Code secret entre copines !

ET TOI,

est-ce que tu te disputes avec ta copine ou ton copain ?

Avoir un copain ou une copine, c'est une vraie chance !

On est toujours ensemble, on joue, on rigole, on se dit tout, on a confiance l'un envers l'autre. L'amitié, c'est sacré, même si parfois il existe des petits moments difficiles !

Tu t'es sûrement déjà disputé(e) avec ton copain ou ta copine. **Cela arrive à tout le monde.** C'est impossible de bien s'entendre tout le temps avec quelqu'un, de toujours être d'accord, de ne pas s'énerver ou se vexer. Les disputes font partie de la vie, c'est normal. Et, en plus, elles permettent souvent d'arranger les problèmes.

On a tendance à vouloir que sa copine ou son copain soit comme ci ou comme ça. Et, quand il ou elle ne correspond pas tout à fait à ce que l'on s'était imaginé, on est déçu, et les disputes éclatent. **C'est logique, puisque en réalité chacun est comme il est, avec ses qualités et ses défauts.**

Pour ne pas être déçu, il faut essayer d'accepter les défauts de son copain ou de sa copine, même s'ils nous déplaisent. Au bout d'un moment, on peut même arriver à en rire, voire à les apprécier, parce que c'est ce qui fait que son ami(e) est une personne unique.

Et toi aussi, tu en as, des défauts, comme tout le monde. Ton copain ou ta copine doit faire les mêmes efforts que toi. **C'est en s'entraînant, petit à petit, qu'on apprend à mieux vivre ensemble et à s'apprécier tels qu'on est vraiment.**

• Quand ta copine ou ton copain a fait ou dit quelque chose qui ne te plaît pas, parle-lui tout de suite du problème.

N'attends pas d'être énervé(e). Il(elle) pourra t'expliquer les raisons de son geste ou de ses paroles, et tout s'éclaircira peut-être.

• Si c'est toi qui penses avoir fait ou dit quelque chose qui a vexé ton copain ou ta copine,

va t'expliquer. Il(elle) comprendra sûrement. Et, surtout, n'hésite pas à t'excuser.

• Parlez ensemble de vos qualités et de vos défauts en rigolant.

Comme ça, quand ils apparaîtront dans telle ou telle situation, l'ambiance sera plus détendue.

• Dans une dispute, il n'y a pas forcément un méchant et un gentil.

Chacun est un peu des deux. Demande-toi à quel moment tu as exagéré et quand ton ami(e) a lui(elle) aussi exagéré. Tu comprendras mieux les raisons de la dispute, et elle ne se reproduira peut-être pas.

• Si la brouille dure longtemps, essaie de faire le premier pas.
N'aie pas peur d'aller vers ton copain ou ta copine. Il(elle) n'attend peut-être que cela, mais n'ose pas te parler, de peur d'être repoussé(e).

• Mais attention ! Il arrive parfois qu'un copain ou une copine provoque sans cesse des disputes,
qu'il(elle) soit même un peu méchant(e). Dans ce cas, ne te laisse pas faire. Dis-lui que tu n'acceptes pas son attitude, et s'il(elle) ne change pas, trouve un(e) autre ami(e).

N'oublie pas : tout comme après la pluie vient le beau temps, après la dispute vient la réconciliation !

Un grand merci à Christine Arbisio, psychanalyste et maître de conférence en psychologie à l'université Paris XIII, pour sa relecture attentive.